Margot Froid-dans-le-Dos

TONY GARTH

MANGO *JEUNESSE*

– Vous connaissez Margot ?
– Elle fait froid dans le dos !
Est-ce à cause de ses épais cheveux noirs
qui traînent par terre, ou parce que ses yeux
n'ont pas la même taille ?
Certaines mauvaises langues disent l'avoir vue
jeter des sorts.
Ou alors, c'est peut-être parce qu'elle
se promène toujours avec son araignée
violette à longs poils ?
En tout cas, les enfants disent toujours :
– Tiens, voilà Margot Froid-dans-le-Dos !

Tout cela rend Margot bien triste.
Elle aimerait tellement être comme
les autres. Jouer et s'amuser.
Elle travaille bien et elle est très polie avec
les adultes. Mais sa famille fait vraiment trop
froid dans le dos. Sa mère est toujours
habillée en vert, de la tête aux pieds.
Même ses cheveux et ses ongles sont verts.
Ils habitent une maison tout en haut
de la colline. Une grande maison très
sombre, avec des bougies qui projettent
d'effrayantes ombres sur la ville.

La plupart des enfants vont à l'école à pied
avec leur papa ou leur maman.
Margot, elle, y va en voiture avec son père
qui est si grand et si maigre que sa tête
dépasse de la capote de la voiture.
Quand ils arrivent, tous les autres enfants
se moquent d'elle et leurs parents
se dépêchent de rentrer dans l'école.
– Ne t'approche pas de cette petite fille,
disent-ils. On ne sait jamais ce qu'elle
a derrière la tête.

Sa maman essaie de la consoler.
– Je sais, ma chérie, tu es différente des autres. Combien d'enfants ont une chauve-souris pour animal de compagnie ou une momie égyptienne comme poupée ?
Margot Froid-dans-le-Dos pleurniche.
– Mais c'est bien ça le problème, maman. Je veux être comme les autres. Je veux faire du poney dans les champs, et pas la chasse aux araignées et aux serpents au cimetière.
– Vraiment ? demande sa maman, très surprise. Laisse-moi réfléchir.

Margot remonte, en traînant les pieds,
le grand escalier de pierre qui mène
au grenier où elle dort.
Elle croise le fantôme d'un vieux pirate
qui essaie de lui faire peur en traversant
le mur. Mais cela ne marche pas,
elle n'a pas du tout envie de rire.
– Viiiiiens, Margot, gémit-il. Viens jouer
à cache-cache, froooid daaans-le-doooos.
– Pas ce soir, dit-elle en soupirant.
Peut-être demain.

Le lendemain matin, Margot est réveillée
par sa mère qui fait irruption
dans sa chambre.
– J'ai trouvé, dit-elle, tout excitée.
– Quoi ? demande Margot encore endormie,
en retirant les toiles d'araignées de ses yeux.
– Si tu ne peux pas ressembler aux élèves
de ta classe (franchement, cela m'étonnerait
que tu y arrives !), fais en sorte
qu'ils te ressemblent.
Margot pense que sa mère est devenue folle.
– Qu'est-ce-que tu veux dire ?

– C'est bientôt Halloween, si on faisait une petite fête à la maison ?
Margot est tellement heureuse qu'elle tombe de son lit et se retrouve dans le panier de ses grenouilles domestiques.
– C'est vrai, maman ? Je peux ?
– Bien sûr ! Tu devrais commencer tes invitations dès maintenant.
Margot court à son bureau. Elle croit attraper un stylo mais se retrouve avec un serpent dans la main !

À l'école, elle annonce à tout le monde la bonne nouvelle.
– Demain soir, c'est Halloween, vous êtes tous invités chez moi pour une grande fête.
Grand silence. Les enfants sont effrayés.
Tout d'un coup, une petite voix se fait entendre.
– Ma maman dit que ta famille est très bizarre et elle m'a interdit d'entrer dans ta maison.
Tous entonnent en chœur :
– Margot fait froid dans le dos ! Margot fait froid dans le dos !

Margot est tellement bouleversée qu'elle éclate en sanglots.

– Moi, j'adorerais venir chez toi, Margot. Est-ce que je suis invitée ?

Margot lève les yeux. C'est la maîtresse.

– Bien sûr que vous êtes invitée, répond-elle en reniflant.

Alors, les enfants s'approchent un à un.

– Est-ce que je peux venir aussi ?

– C'était une blague !

– Nous aussi, on vient.

Ce fut leur plus belle nuit.
Tous arrivèrent déguisés en monstres effrayants. Certains étaient en vampires, d'autres en loup-garous, d'autres encore en momies.
Deux filles s'étaient même déguisées en Margot Froid-dans-le-Dos.
Sa maman avait préparé des boissons vertes qui moussaient. Des fantômes et des vampires poursuivaient les enfants dans toute la maison.
On entendit leurs cris de joie dans toute la ville.

Depuis ce jour-là, Margot Froid-dans-le-Dos est devenue la meilleure amie de tout le monde. Elle est à présent la fille la plus populaire de toute l'école.
Sa maison est vraiment super et ses parents sont géniaux.
C'est vraiment bien d'être un peu différent !

Ils sont terribles !

Collectionne toutes leurs aventures.

Dépôt légal : juin 2002 – ISBN : 2 7404 1442 0
Loi 49–956 du 16 juillet 1949 sur les publications destinées à la jeunesse
Imprimé en Communauté Européenne